TATRY

MILÍČ BLAHOUT
PAVOL REPKA

TATRY

VYDAVATEĽSTVO OBZOR
WYDAWNICTWO INTERPRESS

14 CZERWCA O GODZINIE 12

14 WRZEŚNIA O GODZINIE 9

↓ 28 PAŹDZIERNIKA O GODZINIE 10

↓ 28 LISTOPADA O GODZINIE 14

14 STYCZNIA O GODZINIE 9

↓ 28 LUTEGO O GODZINIE 14

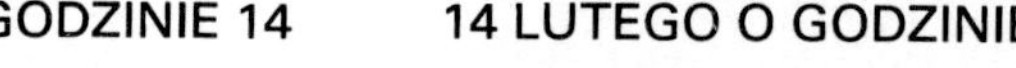
14 LUTEGO O GODZINIE 7

↓ 28 MARCA O GODZINIE 7

1 ŻYWA PRZYRODA NIEOŻYWIONA

2 ŁUK WEGETACYJNY

3 BOHATERKI TURNI

4 OSTATNIE POKOLENIE

5 STRAŻNIKOM DIADEMU

Na całym szerokim świecie nie znajdziecie dwu ludzi z jednakowymi daktylogramami, chociaż ludzi są miliardy, a linie papilarne na opuszkach ich palców podobne są do siebie jak krople wody. Tak powstała daktyloskopia.

Na tym samym świecie nie znajdziecie dwu szczytów, które byłyby jednakowe, choć nigdy nikt ich wszystkich nie policzy, a wiele jest takich, że trudno je od siebie odróżnić. Tak powstała orografia.

Spróbujcie porozmyślać nad którąś z chwil swego życia. Czy znajdzie się powtarzalna? Nie może się taka znaleźć, zawsze będzie tylko podobieństwo, odmiana.

Otworzyliście książkę i zatrzymaliście się na wstępnych stronach przy ośmiu datowanych obrazkach. Przypatrzcie się im jeszcze raz. Fotografowane były z tego samego miejsca, jedynie w różnych porach.

To otwarcie tworzy motto książki.

W życiu człowieka oraz w przyrodzie nie ma powtórzeń. Są tylko wyjątkowe, na zawsze przemijające chwile – momenty różnorodne, wielokształtne jak szkiełka mozaiki, i z nich właśnie składa się życie, składa się przyroda. I prawdopodobnie dlatego jedno i drugie tak nam jest drogie.

Nasza ilustrowana książka zatytułowana po prostu – TATRY – składa się właśnie z takich różnobarwnych i różnokształtnych momentów. Na jej stronach spotkamy się niemal wyłącznie z takimi skrajnymi zjawiskami świetlnymi i spektralnymi, które w krajobrazie nigdy się nie powtarzają. Trwają bardzo krótko, jedynie kilka minut lub sekund. W tych czasowo bardzo ograniczonych momentach dziś niemal technicznie doskonała *camera obscura* starała się nie tyle uchwycić, co raczej objawić istotę, charakter i wyjątkowość jedynych w środkowej Europie wielkich gór, fenomen ich przyrody i stosunek do nich człowieka.

Prawdą jest, że żadna *camera* sama nic nie ujmie, a już w ogóle niczego nie objawi. Na próżno stałby przed nią chociażby ten najbardziej fotogeniczny obiekt – uderzenia fal biczowanych wichrem pędzącym ze studwudziestokilometrową szybkością albo oświetlony namiot na campingu, promieniejący spokojem, kwiaty otoczone roziskrzoną atmosferą brzęczących pszczół, albo wijący się wąż młodych turystów wstępujących na niebotyczne Rysy, krople rosy drżące na jesiennym liściu, albo łzy bólu w oczach narciarki po bolesnym upadku, kruk w modrym spektrum zachodzącego słońca lub tabliczki Tatrzańskiego Parku Narodowego organizujące turystów, limba z okaleczonymi korzeniami, zachłannie szukającymi ziemi żywicielki, albo wzbudzający radosne emocje pochód z lampionami, młodziutkie drzewo i mezozoiczna, miliony lat licząca wapienna skała, jedno i drugie przez żywioły wybielone na jednakowy jasnosiwy odcień, albo chociażby wszystkie kolory wysokogórskiego świata. Za tą kamerą musi ktoś stanąć – a ten ktoś musi dokładnie wiedzieć, który obiekt i kiedy ma obiektyw kamery za pomocą światła zarejestrować na materiale ukrytym w komorze. Za kamerą musi stać twórca mający dokładnie przemyślaną ideę, zrodzoną na długo przedtem, nim zdecydował się na ekspozycję i mechanicznie nacisnął guziczek.

Na wspomnianych kilka minut lub sekund (albo nawet na tysięczną sekundy) twórca musiał czekać cierpliwie, być w pogotowiu... dni, tygodnie, miesiące, a czasem i lata.

Tylko tak może powstać fotografia – dzieło, które potem zmusi człowieka, a dokładniej... widza, do wpatrywania się i do zastanowienia, szukania i znajdowania treściowych, kolorystycznych i kompozycyjnych powiązań poszczególnych fotografii i dzieła jako całości.

W ten sposób powstała nasza ilustrowana książka – TATRY.

TATRY

1) ŻYWA PRZYRODA NIEOŻYWIONA

Przeszedłem całe Tatry, chodziłem o każdej porze roku, chodziłem przy każdej pogodzie. Były takie chwile, że wmawiałem sobie, że już je znam, znam dokładnie, intymnie. A jednak ilekroć wracam do nich, podświadomie czuję, że do pełnego poznania czegoś mi jeszcze brakuje, jakiegoś – może właśnie to decyduje – ogniwka łańcucha.

Rozumiem. Hm... Czy zastanawialiście się kiedyś, co sprawia, że Tatry tak przyciągają ludzi? Nie mam pretensji do nieomylności. Jestem jednak przekonany, że tym cudownym magnesem jest ich osamotnienie. Na naszej starej Ziemi wyrosło, dokładniej – wypiętrzyło się – niezliczone mnóstwo o wiele potężniejszych, wyższych i często nawet dla doświadczonych taterników niedostępnych łańcuchów górskich. A jednak – pozwólcie mi na odrobinę entuzjazmu – milczący majestat tatrzański, nietknięty, nie naruszony, imponujący, właśnie dzięki swemu osamotnieniu, podobnie jak soliter na pustym polu, budzi stale tyle szacunku. Geolog powiedziałby, że górotwórcze ruchy skorupy ziemskiej i ciśnienie przez nie wywołane w okresie neogenu z całej centralnej części rozległego sklepienia zachodnioeuropejskiego wysoko wypiętrzyły jedynie to pasmo: jego szczyty występują nagle, bez jakiegokolwiek przejścia.

Ten rozwój tektoniczny jest jednak tylko jedną przesłanką stanowiącą o wyjątkowości i uroku Tatr. Druga – to glacjalny proces geomorfologiczny, który właśnie ukształtował je w formę dziś nam znaną.

Tak, są to osobliwe, dzikie reliefy skalne, rosochy wymodelowane powolnymi ruchami spływających lodowców i moreny, tamy, tarasy, amfiteatry, wiszące doliny, przedziwne utwory skalne, studnie, piargi, progi, morza kamienne, i te niecki napełnione wodą. To wszystko, co w Tatrach najbardziej podziwiamy. Podziwiamy wbrew temu, że te relikty ery lodowcowej – w odróżnieniu od przyrody organicznej – są bezbarwne, jak... jak piasek pustyni, jak woda oceanów.

Bezbarwne? Przepraszam was. Jedyne, czym żyje przyroda nieożywiona, to właśnie kolor. Zabarwia ją słońce i odbicie jego promieni, słoneczny brzask bezpośrednio przez obłoki, a w nocy przez księżyc..., a może, czego dokładniej nikt nie wie, współdziałają także gwiazdy, wszechświat?..., podobnie jak piaski pustyni zabarwiając szczyty i masywy skalne, bałwany i granitowe płyty. Tak jest z wodą górskich jezior i stawów – odzwierciedla się w niej niebo czyste lub zachmurzone, wiosenne lub jesienne, niebo o świcie lub przedwieczorne, inne są barwy, gdy jest bezwietrznie, inne przy lekkim podmuchu, inne znów, gdy szaleje wichura. Również wody bystrzyc i wodospadów, rosa, kry lodowe, szreń i szron oszałamiają kolorami. I śnieg nigdy nie jest śnieżnobiały, po brzasku rozżarza się pomarańczowo-czerwono, o zmroku jest niebiesko-fiołkowy, inną barwę ma ten świeży, inną topniejący. Jest to jakby ósmy cud świata, ale tak właśnie jest.

Znów chodzimy po Tatrach, o każdej porze roku i niemal przy każdej pogodzie. Objawiają się znów ich dotąd nie poznane, mnie nie znane uroki. Szukam i znajduję kolory tam, gdzie dotąd nawet nie podejrzewałem, że znajdę. Być może, że to było właśnie owo brakujące ogniwko łańcucha. Albo przynajmniej jedno z nich.

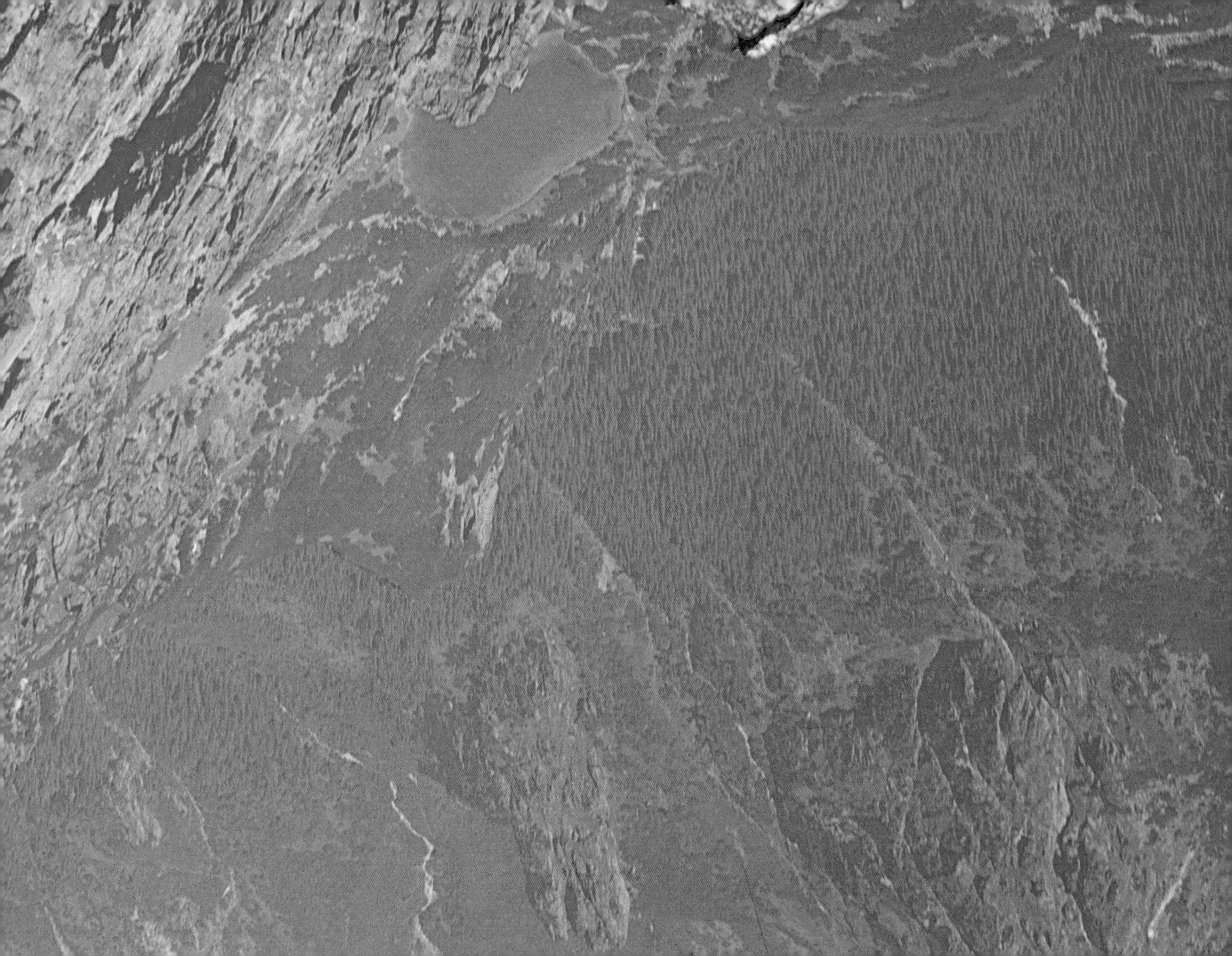

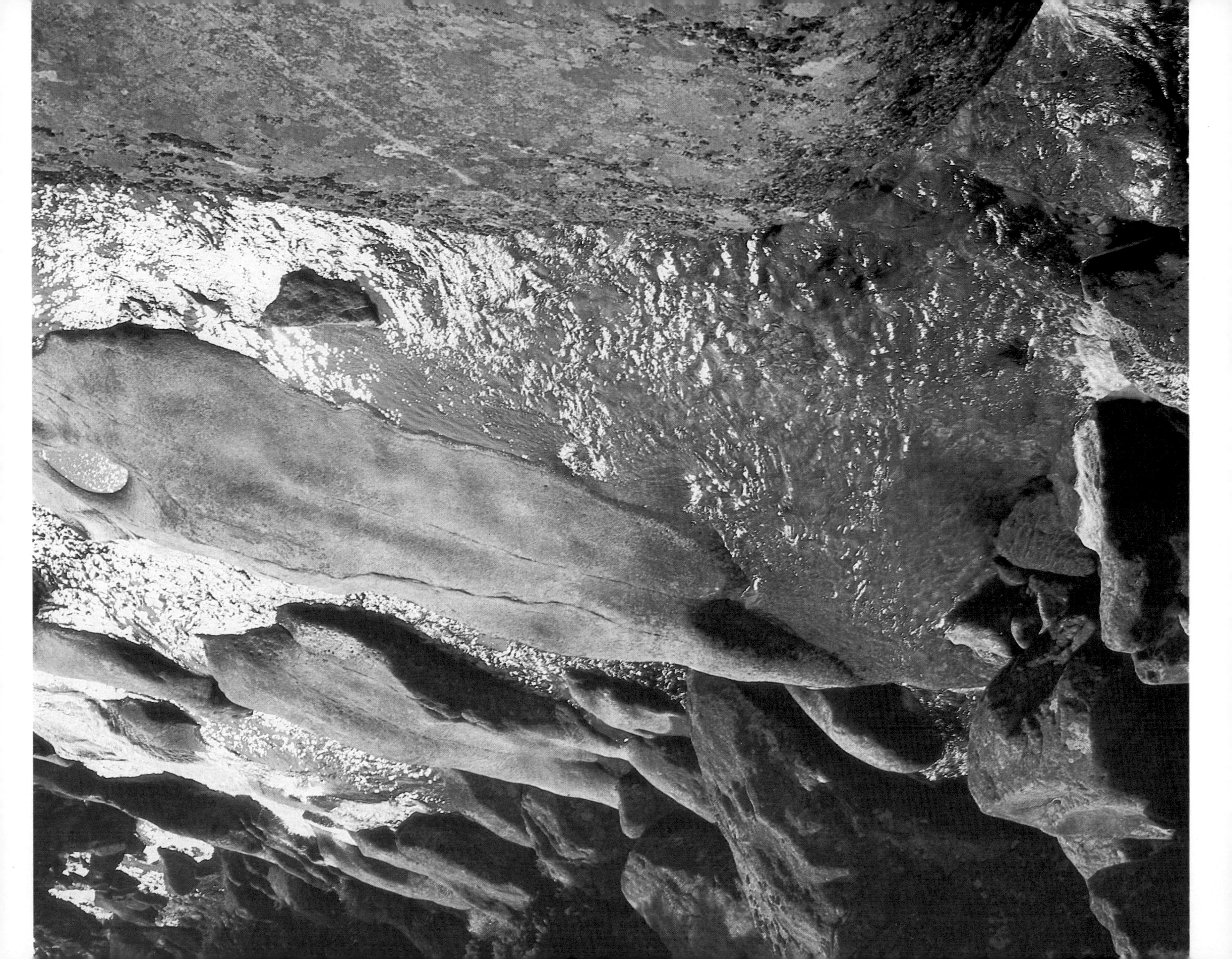

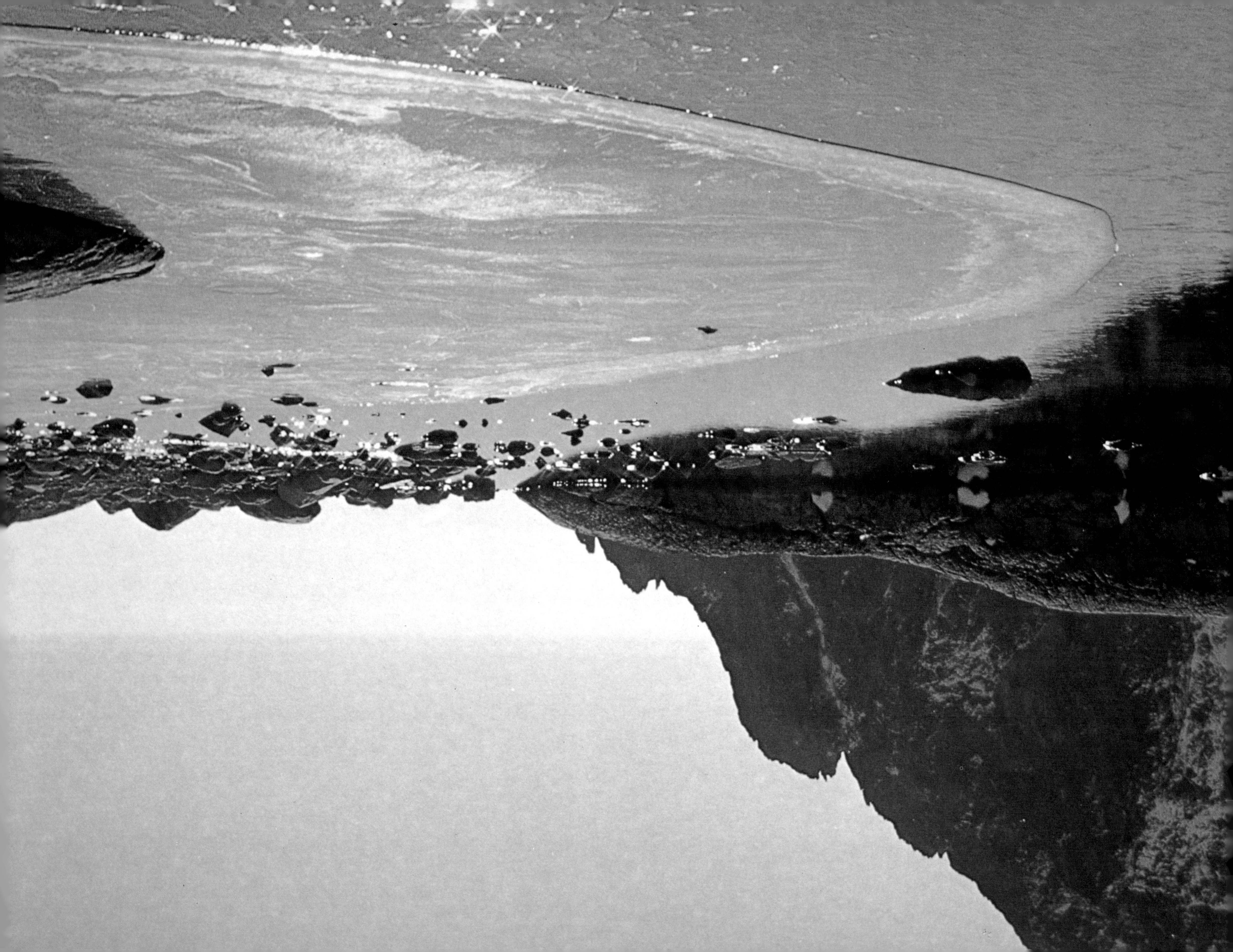

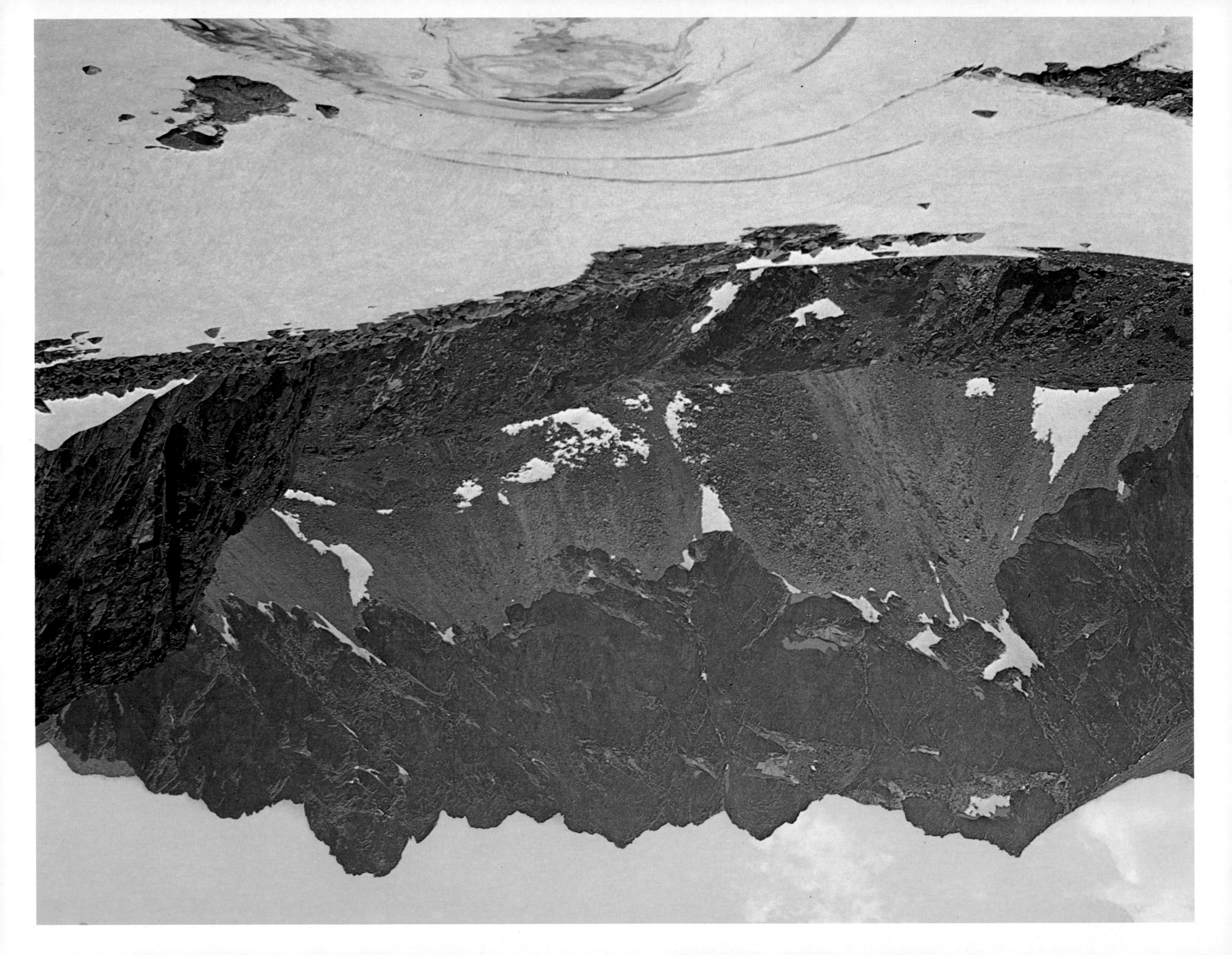

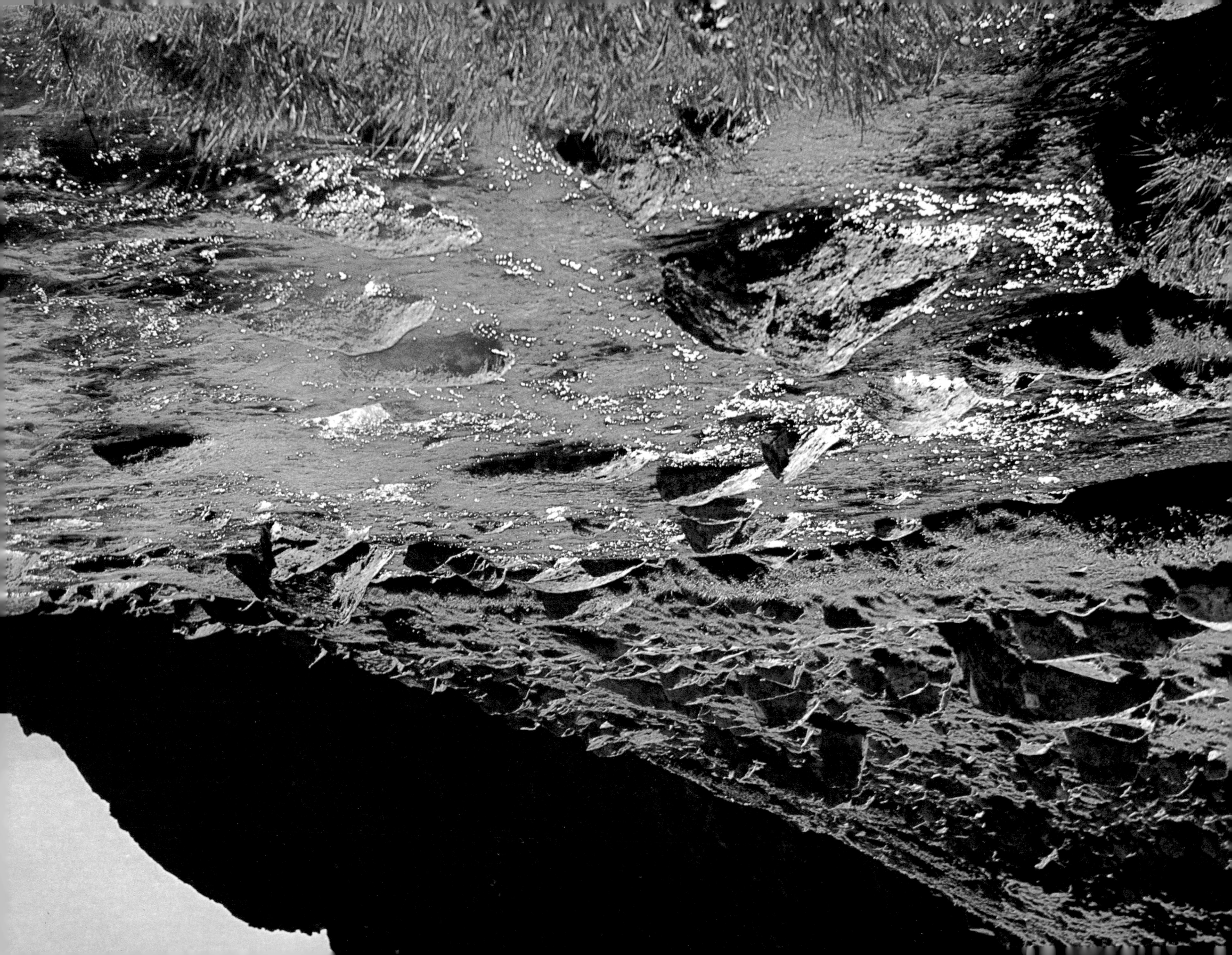

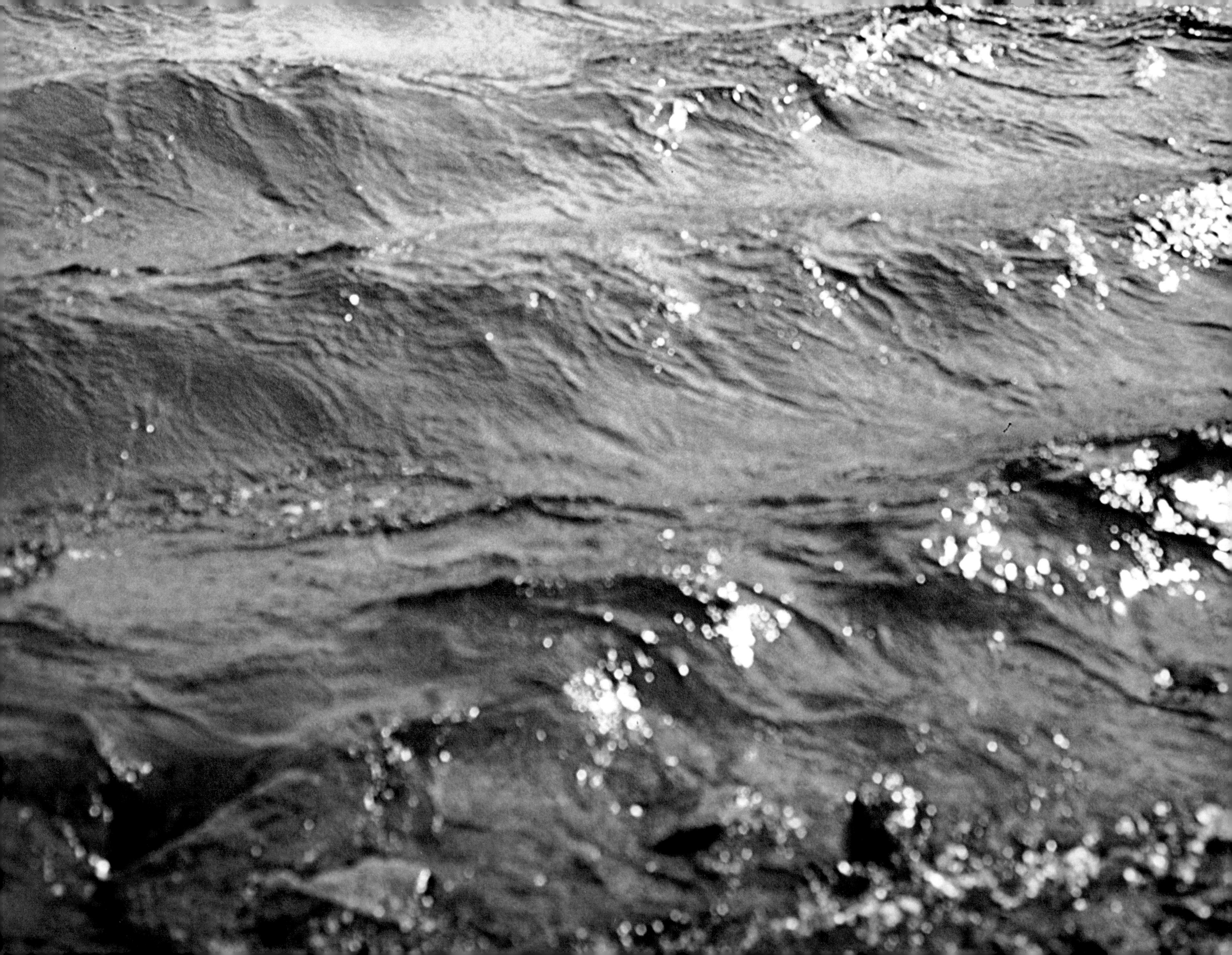

2) ŁUK WEGETACYJNY

Nie ma jednoznacznych odpowiedzi na pytanie, kiedy w Tatrach jest najładniej. Odpowiedzi uwarunkowane są możliwościami, zamiłowaniami i zainteresowaniami tych, którzy tu przychodzą. Dla narciarza liczy się tylko okres śnieżnej zimy, dla wysokogórskiego turysty, podobnie jak dla taternika, słoneczne, bezwietrzne poranki jesienne. Masy wczasowiczów uznają wyłącznie dwa najcieplejsze miesiące, kiedy można rozbijać namioty, spacerować po deptaku, zbierać runo leśne. Myślę, że oni nie potrafią nawet sobie wyobrazić, iż Tatry mogą być inne. Obiektywniejszą odpowiedź mogą dać prawdopodobnie jedynie ich stali mieszkańcy.

Nie tylko każda pora roku znaczy Tatry osobliwym urokiem, swoje piętno wywiera na nie każdy świt i każdy zmierzch, i każda zmiana pogody, pojawiająca się tu nagle, nieoczekiwanie. Bywa nieraz kilka takich zmian w ciągu dnia, w ciągu godziny nawet. Wzbudzają coraz to inne emocje i nastroje, które popadają w zapomnienie tym szybciej, im krótsze są interwały między zmianami. Tylko jedna z nich jest wyjątkowa i dlatego niezapomniana. Przychodzi oczekiwana, regularnie, i na długo pozostaje w pamięci. Atmosfera robi się fiołkowa. Kosodrzewina zadrży – a potem nieruchomieje. Wówczas sklepienie nad nią staje się brzemienne, jak ołowiany baldachim, z którego opadają ciężkie, owalne kuleczki, uderzają o pancerz, wytrwale zdobywając go swym ciepłem.

A jednak wiosna jest najpiękniejsza.

To nie wiosna, to dopiero przedwiośnie. Z pierwszym ciepłym deszczem budzi się życie. Potem zieleń, soczysta zieleń przebija się przez lód pod skałą. Jakąż niesłychaną wolę musi posiadać jej grot, skoro znalazł w sobie tyle siły! Nie wiadomo jeszcze, co ukrywa w sobie ten dziwaczny grot; jaki pąk i jaki kwiat – różowawy, czy fiołkowy, bo takie są właśnie kolory pierwszych wysokogórskich kwiatów – z niego się rozwinie...

Może to będzie niedźwiedzi czosnek, może krokus, może kichownica biała, może różowy rozchodnik, albo najdrobniejszy pierwiosnek, rosnący najwyżej, bo na samym wierzchołku Gerlacha. I w końcu nie to jest najważniejsze. Istotne jest, że znów powraca tu życie, powraca życie do wysokogórskich hal, ba – jeszcze wyżej, do lodu i śniegu. Do miejsc, gdzie panują najmniej życzliwe dla roślin warunki klimatyczne. Jeżeli tylko w szczelinach granitowych turni znajdzie się odrobina humusu, taka, że zmieściłaby się pod paznokieć, a już strzela z niej soczysty zielony grot, już biczują go wichry, w nocy ściskają mrozy, a w dzień pieką słoneczne promienie; on jednak nie poddaje się i dopóki jest chociaż iskierka nadziei, rozdmuchuje ją, walczy. I dlatego trwa (niektórym pojedynczym okazom udało się tak przetrwać wieki, dziesiątki tysięcy zim, jakie dzielą nas od epoki lodowcowej), stawia opór, kiełkuje aż rozwinie się.

I przywoła wiosnę.

Przywoła lato. Nagle rozpromieni się i rozkwita cały wysokogórski kwietnik. I na tatrzańskiej palecie nie zabraknie żadnego koloru, żadnej barwnej kompozycji, żadnego odcienia. Każda najmniejsza warstewka humusu produkuje żywy organizm, rośliny kwitnące i porosty. Każda skałka pokrywa się porostem, śluzowcem, grzybem, czy rodniowcem; a im skromniejsze są te niższe gatunki roślinne, tym większy budzą podziw prawidłowością, symetrią i geometrią swej kompozycji, przypominając stale coraz to inny strukturalnie i kolorystycznie ornament.

Ale gdzież podziała się wiosna?

Na tej wysokości około dwieście pięćdziesiąt dni trwa zima, a około sto – lato. Resztą dzieli się wiosna z jesienią. Wiosna jest tak krótka, że żywa istota rzadko bywa jej świadkiem. Musiałaby znajdować się hen tam, wśród granitowych posągów, bo tylko im jest dostępne szczęście, by obserwować przejście przedwiośnia w lato. A jesień? Jesień niekiedy bywa krótsza niż wiosna. Jeszcze się dobrze nie rozpoczęła, jeszcze nie zdążyła pochwalić się przepychem barw starej miedzi i złotożółtego trawertynu – gdy niby biała kurtyna spadnie puch. I w tej samej chwili szczyty tatrzańskie, podobnie jak ich największy śpioch świstak, nieruchomieją pod śnieżną kołdrą. Tylko gdzieś o wiele niżej rozbłyskują płomyki listowia padającego na zmęczoną ziemię i płoną płomyki jarzębiny, skłaniającej się nad zamarzającą wodą. W przemarzniętym, coraz to pustszym, coraz przeźroczystszym powietrzu przelatują chmury nasion i nasionek, poręczycieli zachowania i powrotu życia. Wówczas w Tatrach jest najpiękniej, bo można zobaczyć jeden z dowodów tego, że życie jest niezniszczalne — że życie trwa wiecznie.

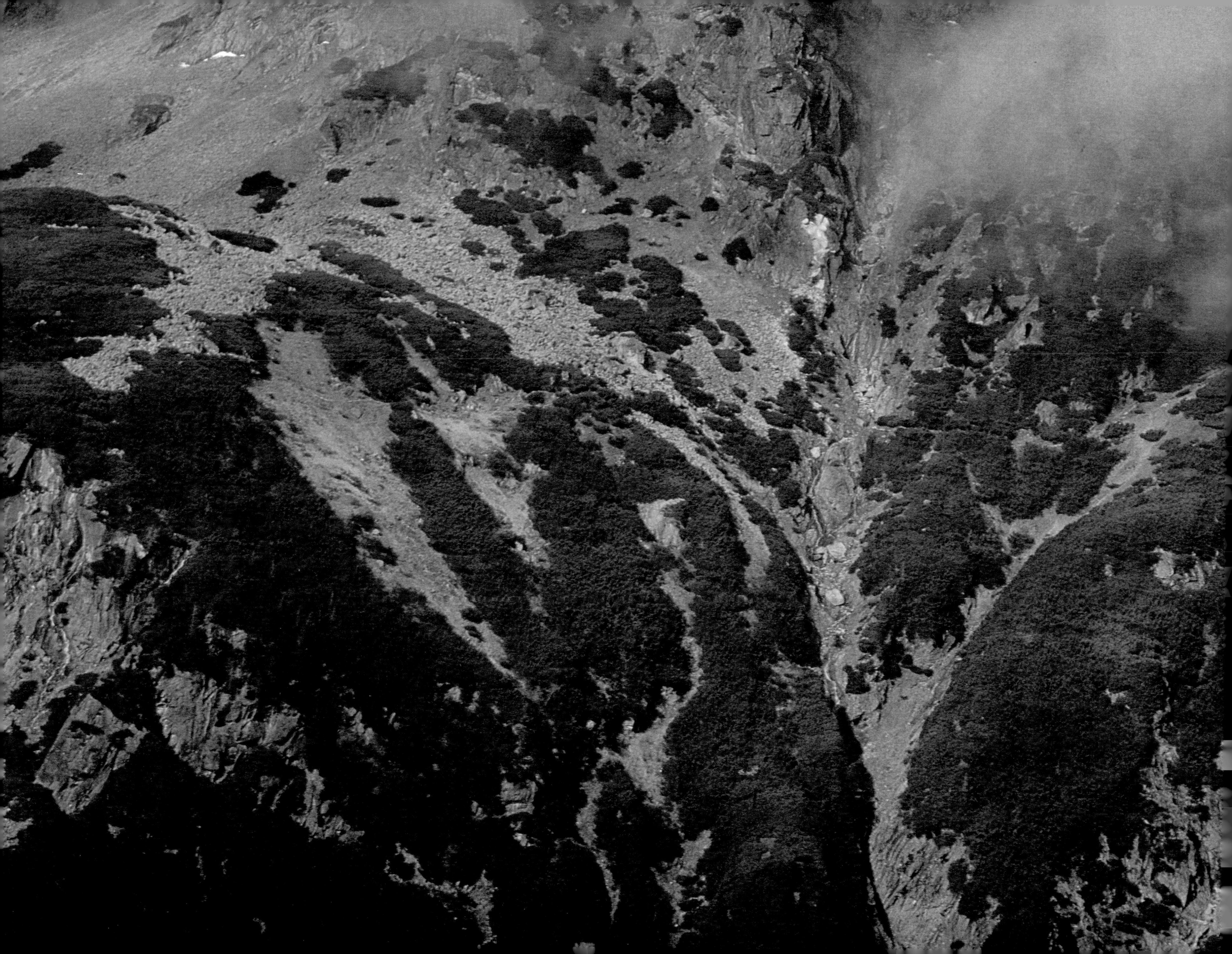

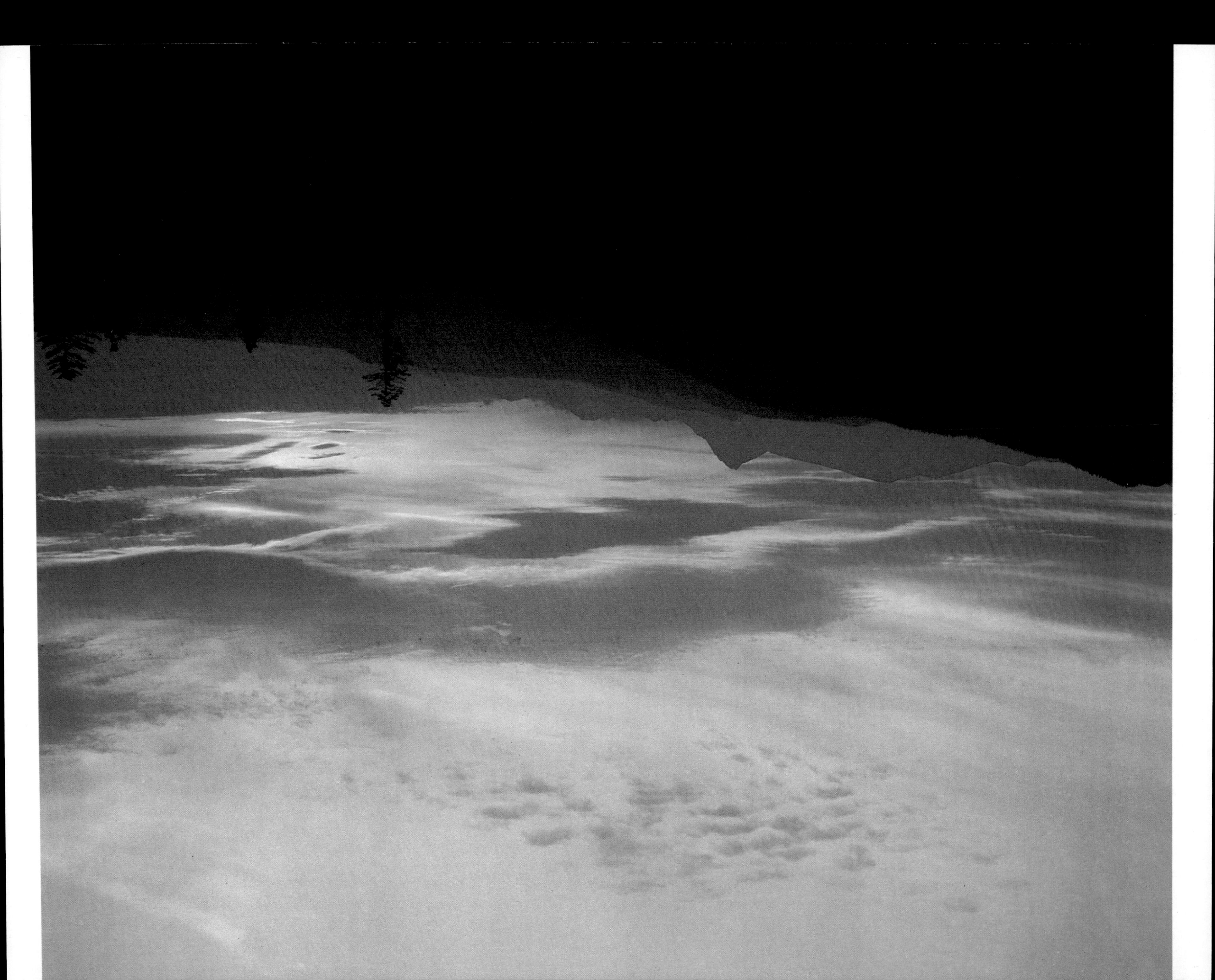

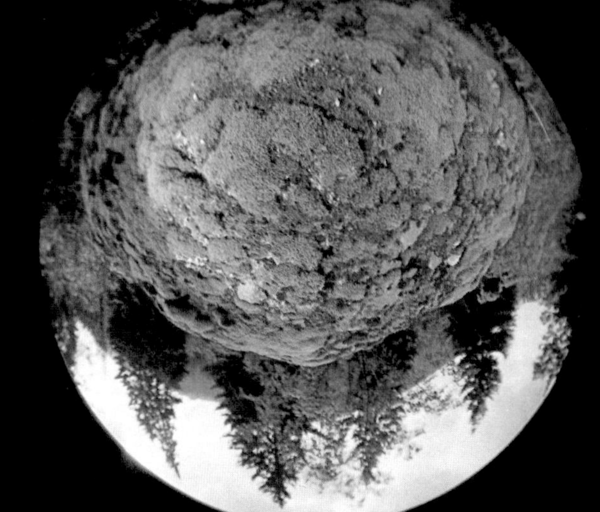

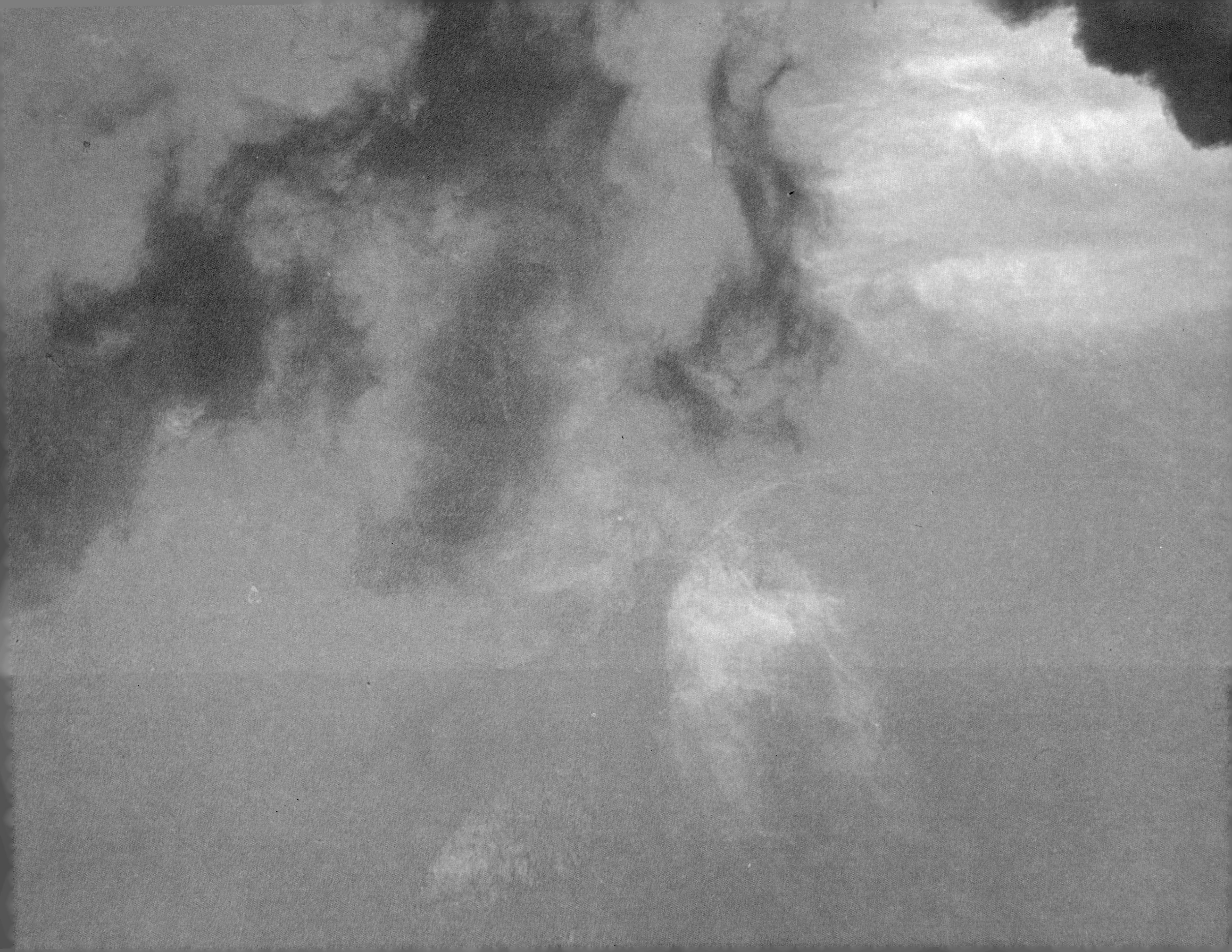

3) **BOHATERKI TURNI**

Już całe lata spędzam letnie wakacje w schroniskach tatrzańskich i musiałby chyba kamień na kamieniu nie pozostać, abym zrezygnował z wędrówki. I dziwne: mimo iż poruszam się przeważnie nad górną granicą kosówki, nie mogę się pochwalić szczęściem spotkania z kozicami. Jeśli, to tylko z bardzo daleka.

I to dobrze. Takich jak wy stale w Tatrach przybywa – a kozicom potrzebny jest spokój. Płoszyłyby się, wędrowały z grzebienia na grzebień, szukały dziewiczych zakątków.

Pewnie i bez nas, ciekawskich, mają dość swoich kłopotów.

Kłopotów i nieprzyjaciół. Kozice z zasady odmawiają jakiejkolwiek pomocy człowieka, nawet w ostateczności nie przyjmą od niego potrawy, nie wyzbędą się swej płochliwości. Inne zwierzęta racicowe w trudnym okresie przychodzą aż do ludzkich siedzib. Kozice przez całą długą, surową zimę żyją wysoko, na grzebieniach i zboczach alpejskiego pasma, gdzie mimo wszystko łatwiej zdobywają skromne pożywienie – kępy zeschłej trawy, krzaczki wrzosów czy mchy – niż w ujściach dolin, gdzie bez porównania więcej jest śniegu, i tego, który spadł, i tego, który zwiał z góry wiatr. Ale i tak często muszą przebijać się przez pola śnieżne, przechodzić przez lawinowe zbocza, by w czasie długotrwałych silnych mrozów i wichur znaleźć osłoniętą kryjówkę, która ochroniłaby je przed zmarznięciem. Śniegi, mrozy, wichury, lawiny i głód – to ich najwięksi nieprzyjaciele w zimie. Życie nie warte zazdrości, ale tym większy budzące podziw.

Niechże więc sobie odpoczną przynajmniej przez ten krótki letni okres.

Nieposkromione, niezależne, dumne istoty. Może właśnie dzięki tym cechom stały się władczyniami Tatr...

flüchtig.
flüchtig.

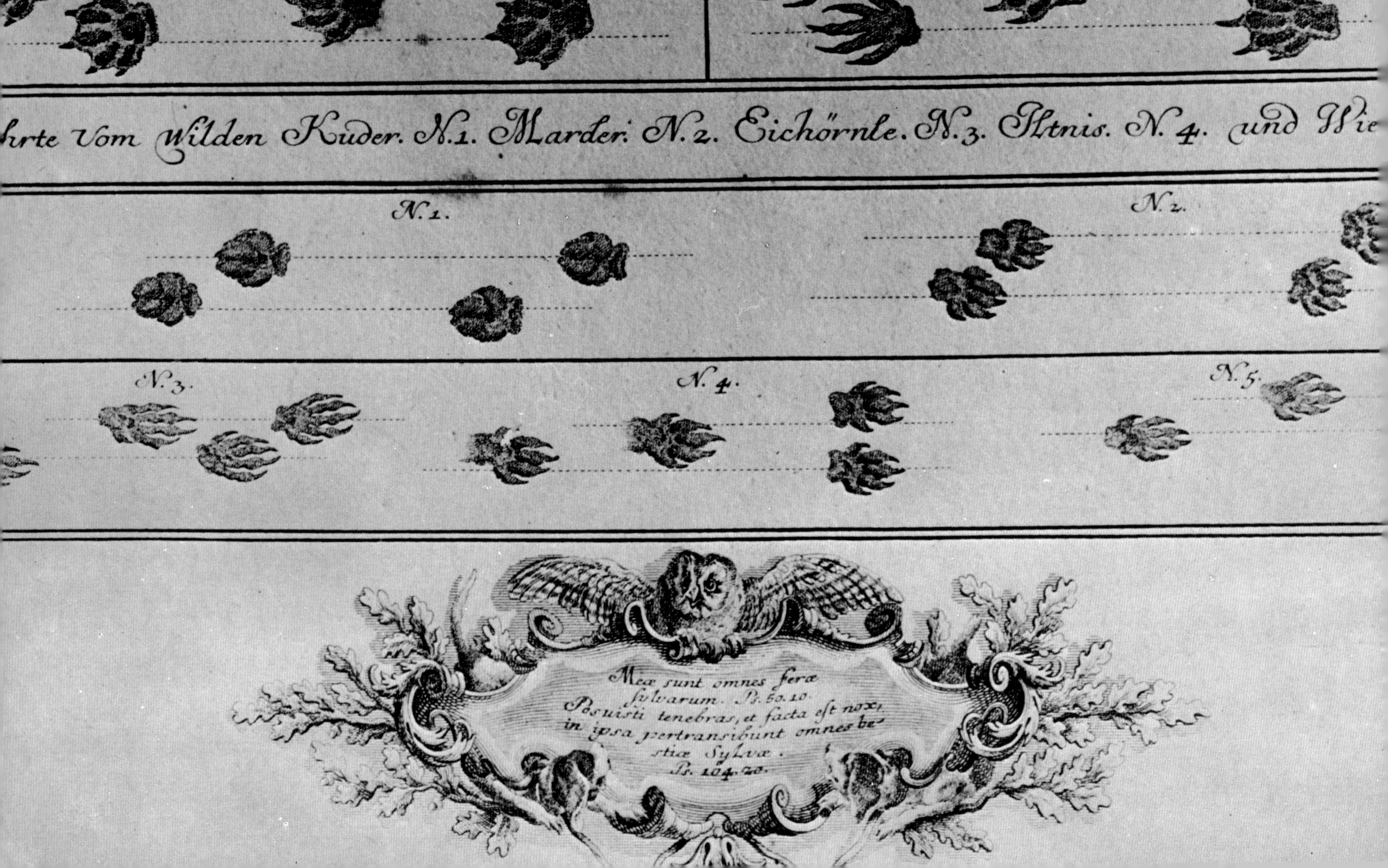
hrte vom Wilden Kuder. N.1. Marder: N.2. Eichörnle. N.3. Iltnis. N.4. und Wie
N.1.
N.2.
N.3.
N.4.
N.5.
Meæ sunt omnes feræ
sylvarum. Ps. 50.10.
Posuisti tenebras, et facta est nox,
in ipsa pertransibunt omnes be-
stiæ Sylvæ.
Ps. 104.20.

I jeszcze dzięki jednej. Są akrobatkami, jakich nie znajdziesz. Człowieka muszą fascynować ich zdolności motoryczne w trudnych warunkach skalnego świata. Kozica niejednokrotnie znajduje się w sytuacji, w której pomóc jej może jedynie odwaga. Otwiera się przed nią głębokie na pięć, czy nawet siedem metrów przepadlisko – zeskoczy. Opada na twardą granitową płytę i nic się jej nie stanie. Wie, gdzie i jak ułożyć nogi, aby amortyzowały gwałtowne uderzenie ciężkiego ciała. Ma niezwykle mocne mięśnie nóg. Racice kozicy przypominają obuwie taternika, ich ostre brzegi umożliwiają bezpieczne poruszanie się po lodzie lub w skalnych szczelinach. A paracice, małe górne kopytka-przyssawki, wyrastające parami na tylnych palcach nóg, podobnie jak taternickie raki, dają ich właścicielce uczucie pewności szczególnie w momentach owych skoków terenowych. Ilekroć obserwowałem kozice w ruchu, obojętnie, czy to było w lecie, czy w zimie, wstrzymywałem oddech.

Poznałem leśnika, który regularnie przed świtem wspinał się perciami na czaty, by mieć pogląd na liczbę i życie zwierząt w swym rewirze; wysiadywał, popalił sobie, pokaszlał – a zwierzyna wcale się nie płoszyła. Jego krok, zapach, ba nawet i kaszel uznawała za element swego własnego górskiego świata. Ale jeśli z leśnikiem szedł ktoś obcy... Nawet on, badacz i strażnik fauny tatrzańskiej, mógł tam w górze odbywać swoje kamienne czaty tylko samotnie. W przeciwnym razie nie mógłby być świadkiem intymnej chwili narodzin koźlęcia, które już po kilku godzinach troskliwa matka zmusza do wstania, chodzenia, a po kilku dniach do schodzenia firnowym zboczem. Nie mógłby na własne oczy zobaczyć miłosnej uwertury świstaków odgrywającej się zawsze w pierwszych majowych dniach po siedmiomiesięcznym zimowym śnie. Dwa z najcenniejszych gatunków tego terenu – kozica tatrzańska i świstak tatrzański – są wówczas szczególnie płochliwe, niedostępne oku intruza. Badaczom Tatr i leśnikom zazdroszczę, że nie są ani obcymi, ani intruzami.

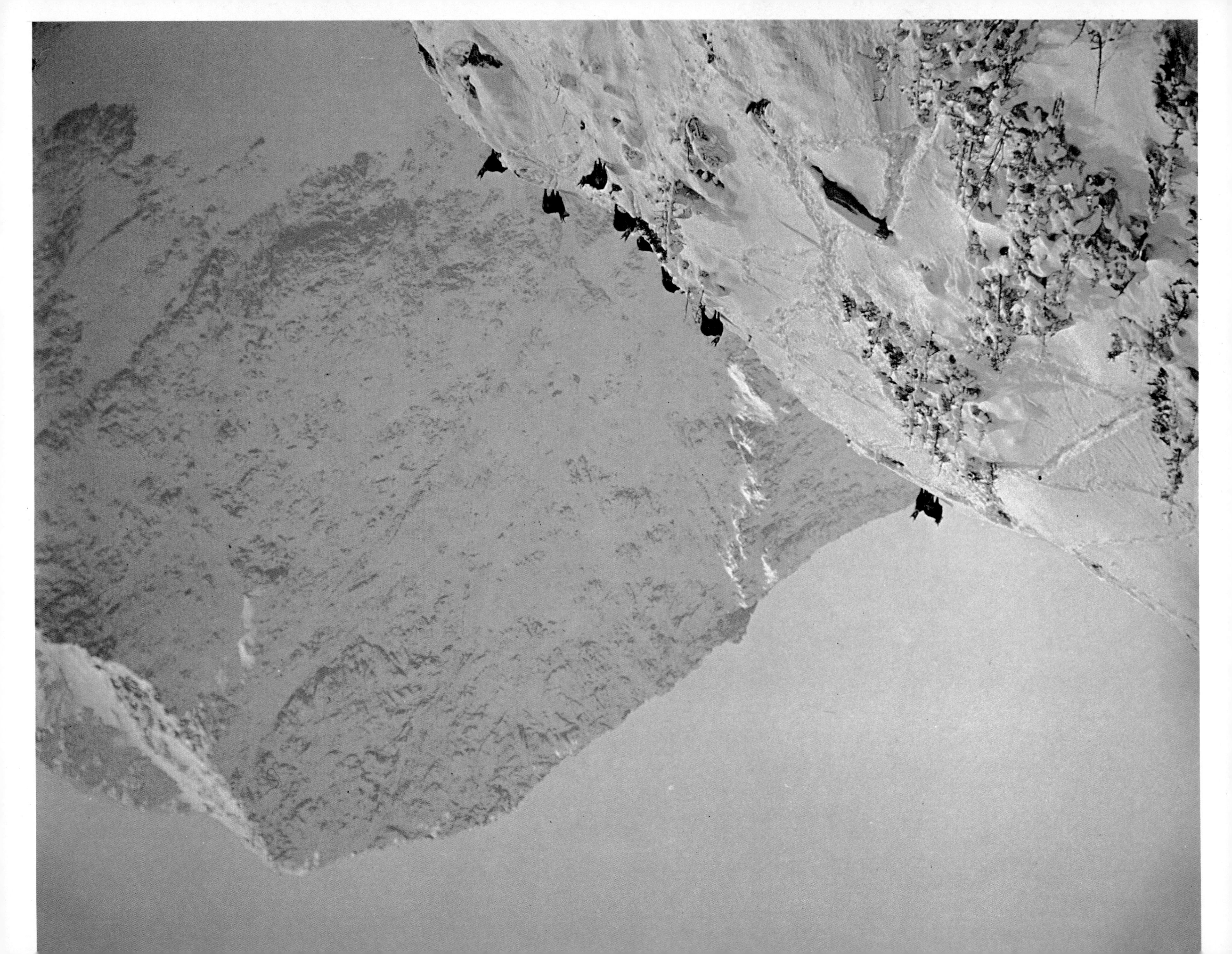

4) OSTATNIE POKOLENIE

Czy nie jest wam zbyt trudno tak po staremu mozolić się, zarabiać na chleb powszedni, gdy niemal już wszędzie traktory dawno zastąpiły konie?

Ej, próżno mi to mówicie, tak robił mój ojciec i jego ojciec, i ja tak będę. Za stary już jestem, nie przywykłbym ani do maszyn, ani do tych wszystkich nowinek, a już z całą pewnością do innego miejsca, a tu przecież inaczej gazdować nie można. A czy wiecie od czego ta nasza wieś nazwę dostała? Żdziarem ją nazwali moi przodkowie dlatego, że na miejscu, gdzie stoimy, był wielki bór. Najpierw musieli go wypalić, grubaśne drzewa i jeszcze grubsze karcze ze skręconymi, głęboko zapuszczonymi korzeniami. I dopiero na tym pogorzelisku mogli osiąść i rozpocząć nowe życie. A takie wypalone karczowisko my nazywamy żdziar. Zrosłem się z tym karczowiskiem, z tymi wierchami, i tu kości złożę.

Pozostanie wierny temu światu, on, ostatni z pokolenia żdziarskich drobnych gazdów, ponad sześćset lat wypalających i karczujących... także kosodrzewinę. I nie uświadamiających sobie, że w ten sposób sięgają do samego rdzenia wznoszących się nad nimi gór, do ich żywej miazgi. Potrzebowali przestrzeni na pastwiska, a więc wypalali i karczowali, potrzebowali drewna, dużo drewna, więc ścinali.

W chałupie z tatrzańskiego drzewa urodziłem się, w kołysce z tatrzańskiego drzewa wyheblowanej odchowali mnie, furmanki tego drzewa mnie żywiły, i trumnę mam już z niego przygotowaną. Chodźcie, popatrzcie na mój dom, sami zobaczycie.

Pierwsza izba, druga izba, komora. Trzy pomieszczenia, to jest dom. Jak w twierdzy połączone są z nimi zabudowania gospodarcze, zrębowe ściany z czterech stron zamykają i chronią podwórko przed nieprzyjaznymi żywiołami – wiatrem i śniegiem; kiedyś chroniły je przed zbójnikami i dzikimi zwierzętami. A wszystko z drewna, jeszcze i podłoga

w izbach, ba całe podwórko cienkimi pniaczkami wyłożone. A na poddaszu – trumna, prawdziwa, na jego miarę zbita... Rozsianych tu wiele takich drewnianych twierdz. Niemal wszystkie są dziś poprzerabiane i przystosowane do ruchu turystycznego, który z podtatrzańskich osad zrobił w sezonie największy tatrzański hotel. Jest to romantyczne i dlatego tak oblegane letnisko. Całe Podtatrze zmieniło się w drewniany hotel z tysiącami łóżek w gościnnych domach gazdów. Taką twierdzę jak u owego gazdy ze Żdziaru na Spiszu przyszłe pokolenia będą mogły podziwiać już tylko w muzeum ludowej architektury, a konika zaprzęgniętego do płóz chyba tylko jako jedną z atrakcji zimowego karnawału.

Przypatrzcie się, dobrze się przypatrzcie narożnikowi tej drewnianej chałupy. Podpisało się na nim sto tatrzańskich zim. Większość z nich była taka, że – jak się mówi – węgły trzeszczały. Ale nie zmogły one słojów, podkreśliły ich siłę, piękno i barwę. Przetrwały słoje, przetrwam i ja pod tą gontową rodzinną strzechą.

Moje dzieci przyjdą się ze mną pożegnać, z miasta tu przyjdą, całe lata tam żyją, tu żyć by już nie umiały, żyć tak jak ja jeszcze żyję, i robić to, co ja jeszcze robię. Przez to malowane okno – co to je nieboga matka malowała – spoglądać będą na te olbrzymie wierchy nad nimi, których tak się kiedyś bały, bo z nich biesy zsyłały same huragany, gradobicia, zawieje, lody. Patrząc, przypomną sobie dzieciństwo i powiedzą: statecznie żyli nasi starcy i na przekór trudnym warunkom terenowym, na przekór prymitywnym formom gospodarowania wytrwali i wychowali nas.

I tak kończy się ten rozdział. To spotkanie z ostatnim z pokolenia żdziarskich gazdów – choć tak samo mogło się ono zdarzyć z gazdą z Białki, Murzasichla czy Białego Dunajca – było pożyteczne, aby współczesny człowiek mógł zrozumieć istotę życia i pracy tych ludzi twardego charakteru i miękkiego serca.

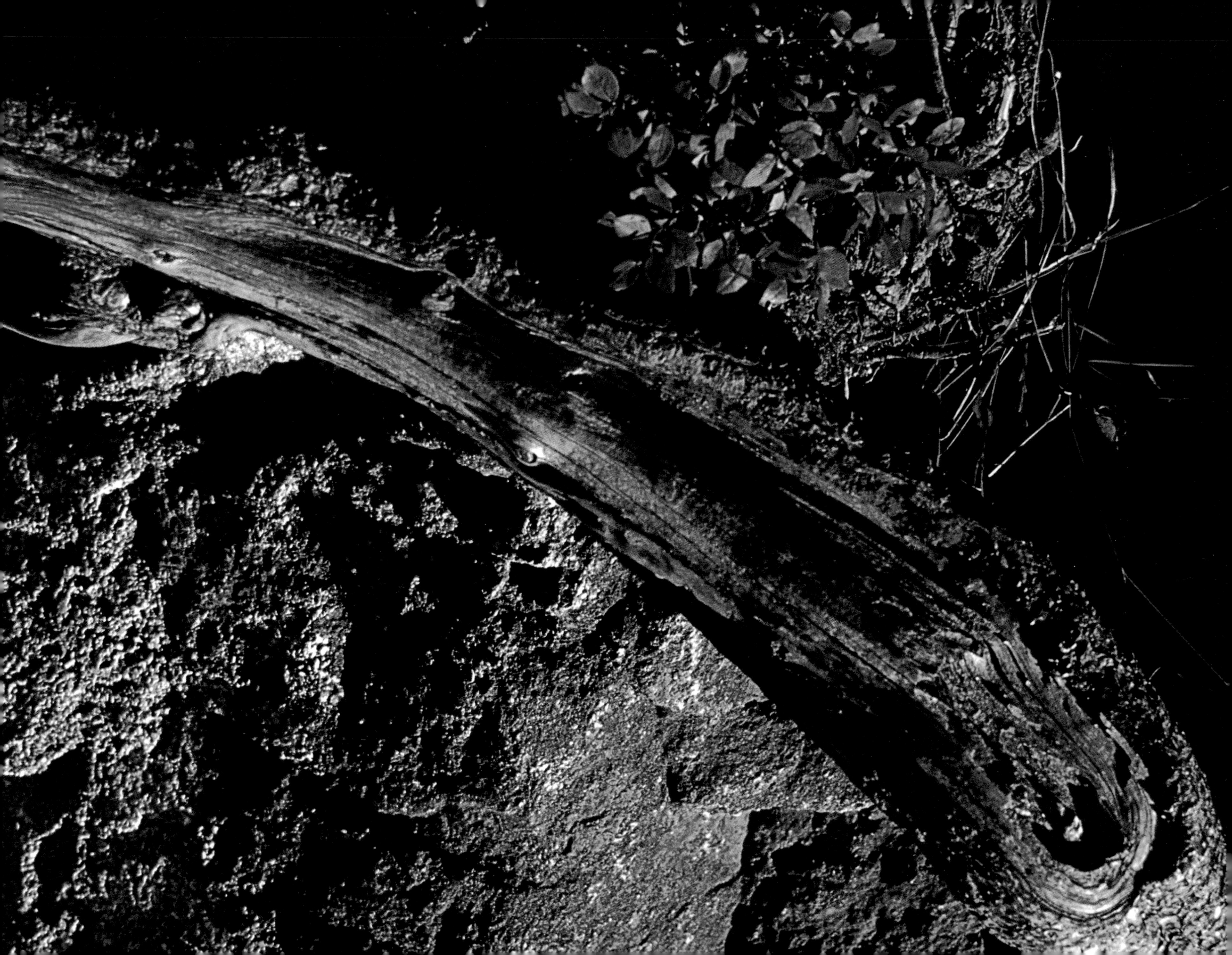

72

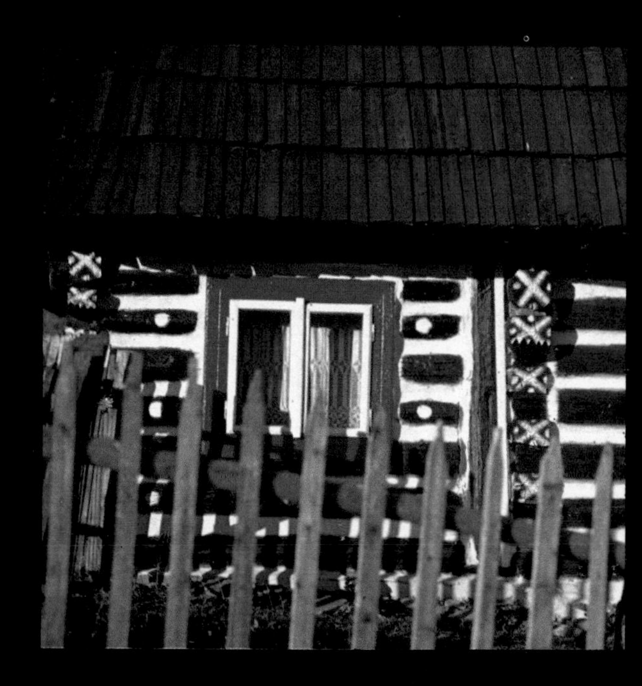

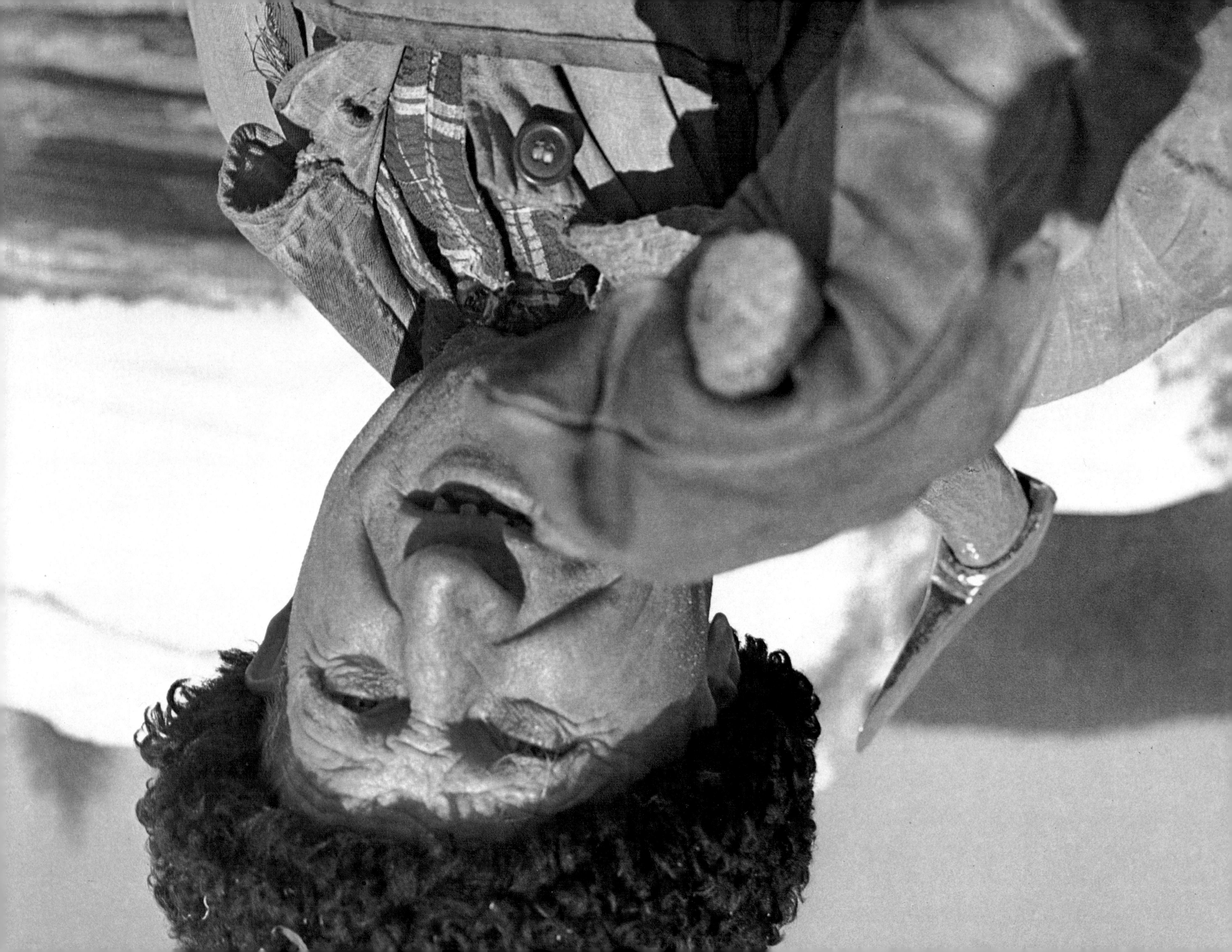

STRAŻNIKOM DIADEMU

Przecież to prawdziwy pogrom. Codziennie tysiące aut, setki autobusów, ołowiany dym i smog w paśmie górskim i na terenie parku narodowego (którego powierzchnia po polskiej stronie liczy 22 km^2 a po czechosłowackiej 51 km^2). I kolejki, nie tylko w zimie do wyciągów, ale i w lecie na szlaki, bądź przynajmniej na spacerowe odcinki tego jedynego turystycznego chodnika-giganta. W geometrycznym niemal postępie przybywa tych co chcą zobaczyć Tatry, chociażby tylko z auta czy autobusu. Liczą już miliony. Przecież serce strażnika przyrody musi krwawić.

Strażnik takiego rezerwatu, jakim są Tatry nie ma łatwego życia. Ludzie przychodzą tu tłumami, stwierdzając: Tatry to jednak Tatry, stać nas na to, możemy sobie na to pozwolić, chodźmy. W końcu jest to zjawisko logiczne i słuszne. Bramy w Tatry są i będą otwarte dla każdego, kogo do nich wiedzie chęć poznania i doznania silnych wrażeń, pragnienie aktywnego odpoczynku i regeneracji sił.

O ile mi wiadomo, nie wszyscy goście są waszemu sercu jednakowo bliscy.

Nie mogą być. Chętnie witamy każdego, kto przyjdzie z plecakiem, zatrzyma się i pójdzie dalej na spotkanie z rankiem, pieszo, gdy żadna komunikacja jeszcze nie funkcjonuje. O świcie oddala się od zgiełku, który tam niżej nie każe na siebie długo czekać, ucieka od niego, by wrócić dopiero wieczorem, kiedy do osad, campingów i pól namiotowych znów wraca cisza i spokój. Wschód i zachód słońca spotyka go daleko od ruchu i zgiełku cywilizacji, przed którym choćby na krótki czas wakacji ucieka gdzieś wysoko na Orlą Perć, na Zawrat i Krzyżne, albo na najpiękniejszą z tras w polskich Tatrach – Ścieżkę Nad Reglami, gdzieś między Halą Kalatówki a Doliną Chochołowską, albo na pięćdziesięciokilometrową Magistralę, przecinającą całą południową stronę Tatr od Podbańskiego na zachodzie po Białe Plesa na wschodzie. Na drugi dzień wstanie i znów idzie, chociażby w deszczu, mgle, chłodzie, idzie, by wykorzystać każdą godzinę, rozkoszować się pięknem, barwą i wonią gór. Taki nie przynosi szkody przyrodzie – nie zerwie kwiatka, zwierząt nie spłoszy, puszki nie rzuci, porostów nie podpali. I nie zaszkodzi sobie – nie puści się na wycieczkę nie poinformowany o trasie, nieodpowiednio ubrany, nie przeceni sił, nie zboczy z oznakowanego chodniczka w nieznany, niebezpieczny teren, w zimie na lawinowe pole. Z jego powodu nie ozwie się syrena Górskiego Pogotowia Ratunkowego. Od mistrzostw świata w klasycznych dyscyplinach narciarskich w Szczyrbskim Plesie minęło już dużo czasu. A ludzie stale tam chodzą, jak na jakąś pielgrzymkę narodową. I nikt im tego nie broni, ani nie ma im za złe. Trudniej już zrozumieć turystę, który mając za sobą kilka łatwych wejść w Tatrach chciałby pokonać co najmniej północną ścianę Mnicha. Albo początkującego narciarza, z zimną krwią zjeżdżającego trasami Memoriału Bronisława Czecha i Heleny Marusarzówny czy Wielkiej Nagrody Słowacji. A przecież nigdzie w Czechosłowacji i Polsce nie ma tylu terenów do uprawiania klasycznego narciarstwa turystycznego co w Tatrach. Ten tak dla zdrowia korzystny sport jakoś wymiera, podobnie jak zawód wysokogórskiego tragarza. Zrobiliśmy się wygodni, bez wyciągu ani jednego narciarskiego kroku. No i zbyt wielu jest takich, co przychodzą tu nie wiadomo po co. Przewietrzyć auto a nie płuca, podziwiać siebie a dopiero potem góry.

Gdy spotkaliśmy się po raz pierwszy, całe godziny opowiadał Pan o najważniejszym dla was problemie na terenie dopiero co uznanym za park narodowy.

Likwidacja pastwisk. Od tego rozpoczynaliśmy. Od tamtej pory musieliśmy operatywnie i perspektywicznie rozwiązać wiele problemów w zakresie koncepcji ochrony przyrody i kształtowania środowiska naturalnego. Zalesialiśmy rozległe tereny zniszczone przez wiatry i owady, dbaliśmy o kultury, wzmacniali porosty. Opracowaliśmy cały system ochrony zwierzostanu i system ochrony przeciwpożarowej, budowaliśmy zabezpieczenia przeciwlawinowe. Dbamy o szlaki turystyczne, ukierunkowujemy budownictwo i niespotykany wprost rozmach ruchu turystycznego. Ratujemy przyrodę, ale również życie ludzkie. Wszystko wymaga czasu. Problem pastwisk już rozwiązaliśmy. Serce strażnika przyrody prawdopodobnie nie może się nigdy z pewnymi zjawiskami pogodzić, ale musi się uzbroić w cierpliwość, a rozum szukać musi rozumnych rozwiązań. W końcu zawsze się znalazły i znajdą.

Tatrzański łuk z bliska przypomina diadem: bogato rozsiane są w nim najcenniejsze szlachetne kamienie – glacjalnego i endemicznego pochodzenia, liczące piętnaście tysięcy i sto dwadzieścia cztery tysiące lat. Niektóre z nich występują jedynie w Tatrach.

W skali całego świata niewiele znajdzie się łańcuchów górskich, które społeczeństwa otaczają nie tylko szacunkiem i podziwem, ale również opieką. Tatry do takich należą. Zawsze pobudzały szlachetne umysły wśród mieszkańców obu sąsiednich krain. Przypomnijmy, że już w XIX wieku idea objęcia Tatr ochroną powstała wspólnie u słowackich i polskich miłośników tatrzańskiej przyrody, że podczas drugiej wojny światowej przez tatrzańskie przełęcze przechodzili górscy tajni kurierzy z Zakopanego do Budapesztu, że pod koniec wojny polscy narciarze dokonali brawurowego transportu rannych siedemnastu partyzantów spod Brestova do wolnego Zakopanego, że wreszcie po tejże wojnie w obydwu krajach uchwalone zostały dekrety, które uhonorowały wyjątkowość tych gór uznając je za park narodowy, podlegający ustawowo ochronie jako narodowe dobro. Największe więc nasze uznanie należy się rozumnym, obdarzonym szlachetnym entuzjazmem i dobrze przygotowanym strażnikom tego narodowego majątku o wartości królewskiego diademu; majątku, który w naturalnym skarbcu ludów Czechosłowacji i Polski stanowi wartość najwyższą. Chrońcie i pilnujcie diademu, aby nie stracił nic ze swego blasku i żaru. Chrońcie i pilnujcie go nadal z tym samym ukochaniem i zapałem. Wam, pełnym poświęcenia pracownikom Tatrzańskiego Parku Narodowego wdzięczne będą przyszłe pokolenia.

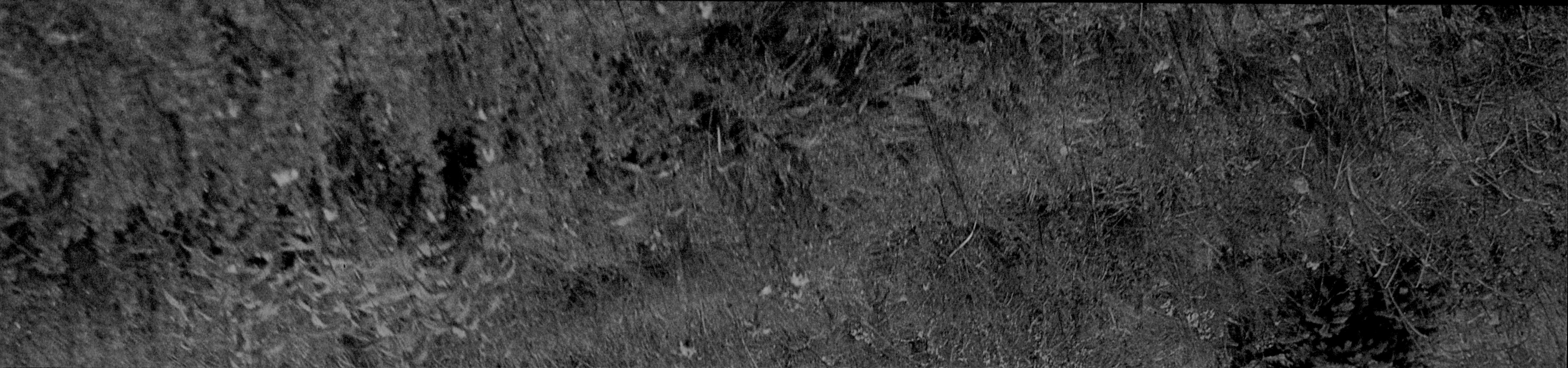

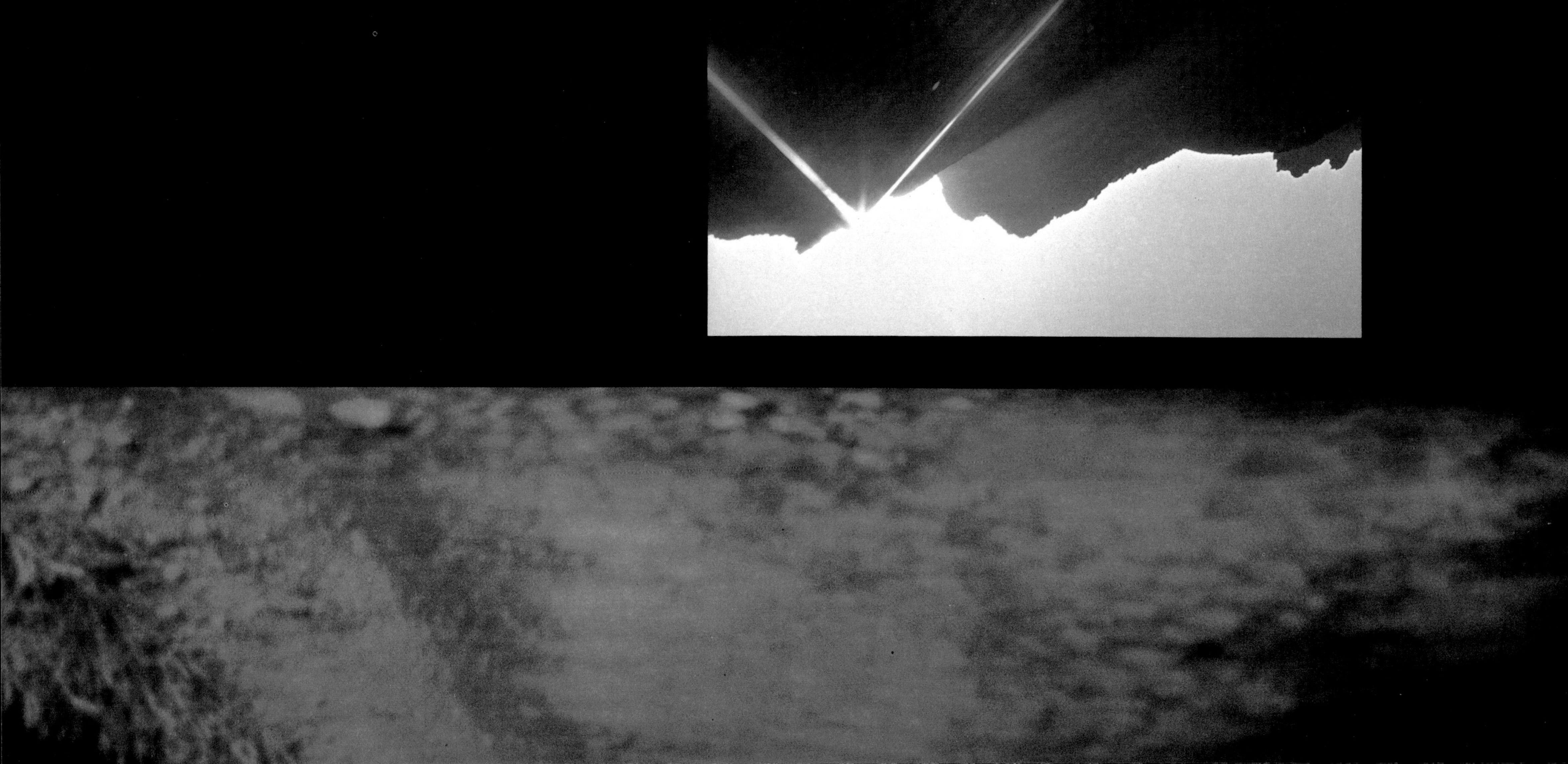

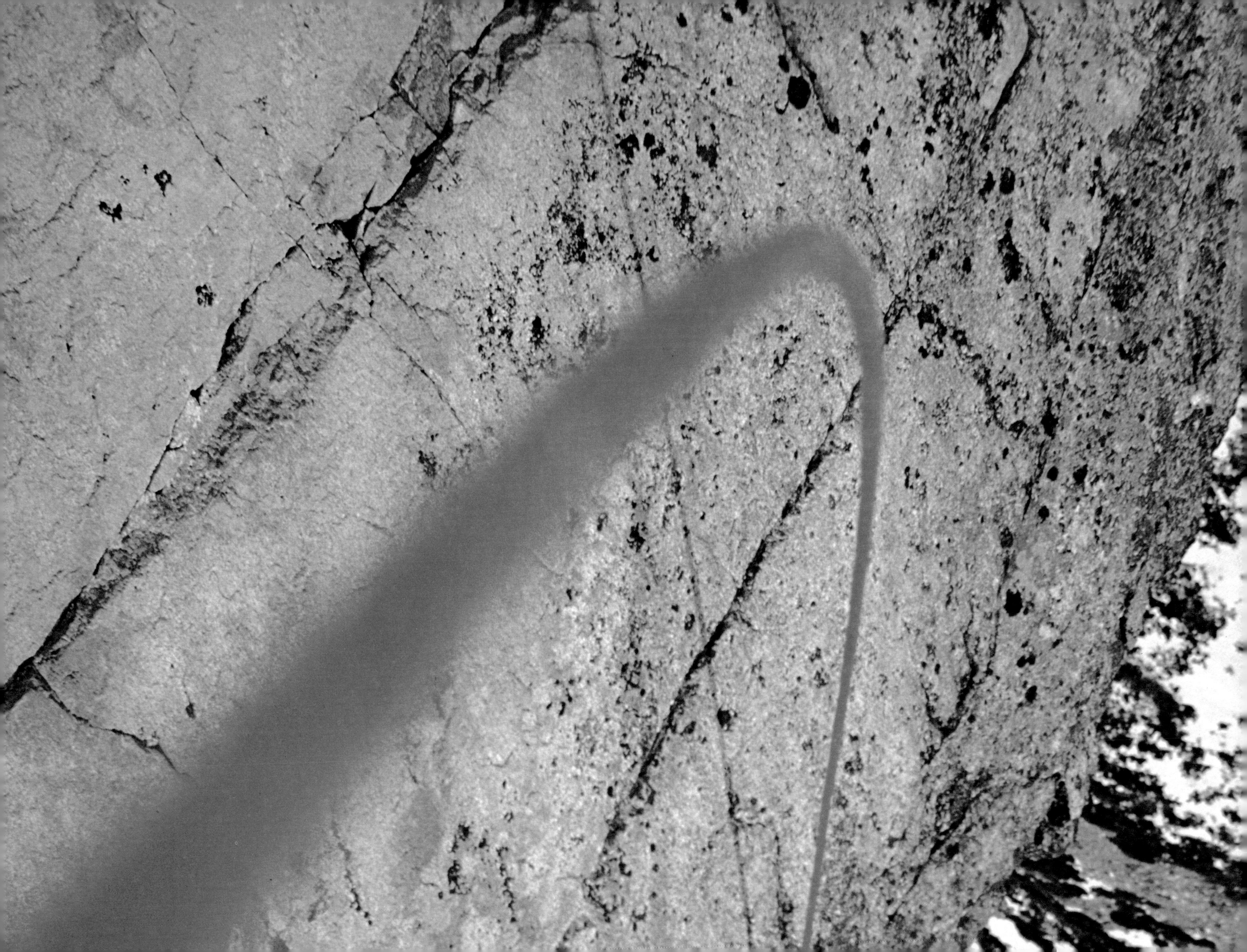

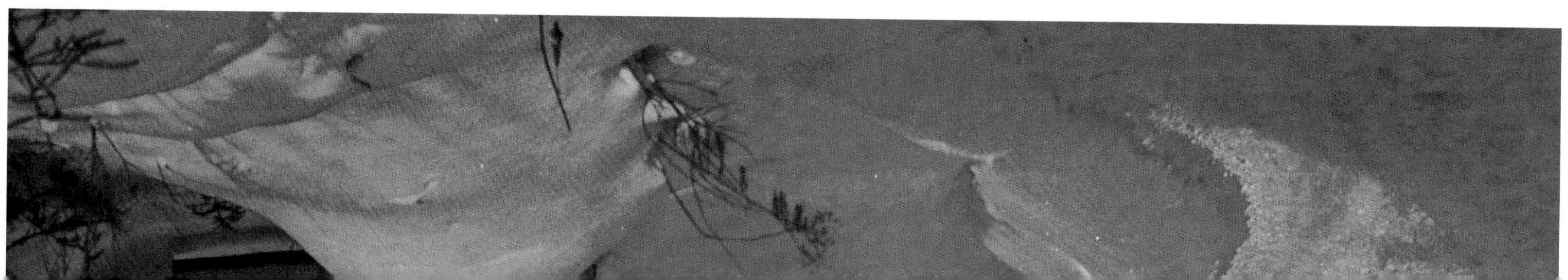

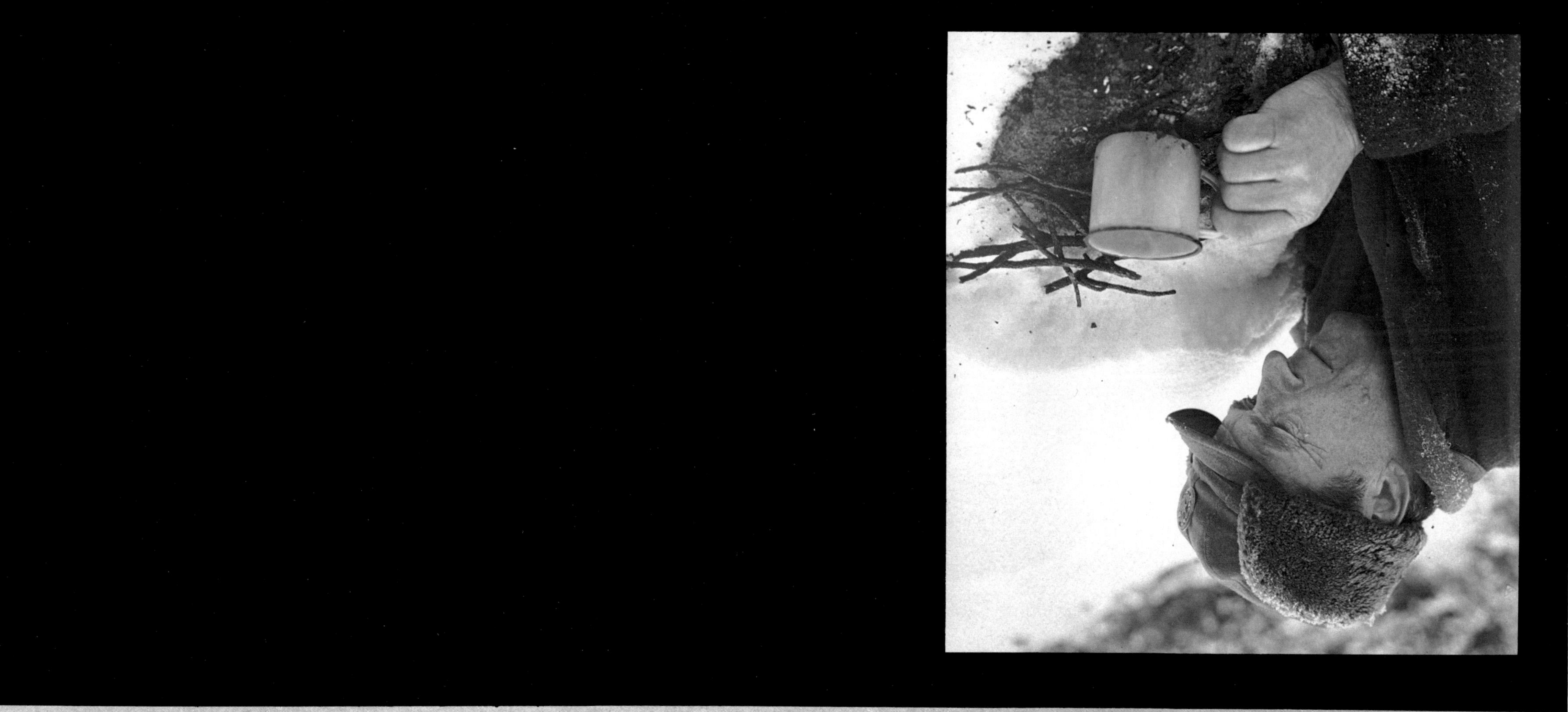

MILÍČ BLAHOUT — PAVOL REPKA

Vydavateľstvo Obzor, n. p., Bratislava

Wydawnictwo Interpress, Warszawa

Opracowanie redakcyjne Oleg Tatarka i Grażyna Hartwig
Opracowanie techniczne Jozef Rácz i Maciej Cholerzyński
Opracowanie graficzne Oldřich Hlavsa
Zdjęcia Tatr po stronie polskiej Jerzy Chojnacki
Wydanie trzecie uzupełnione
dwa tysiace sto czterdziesta trzecia publikacja
Wydawnictwa Interpress.
Bratislava — Warszawa 1984
Druk wykonały zakłady SNP, Neografia, Martin
Cena zł 1500.—

TATRY